Licencia editorial por cesión de Edicions Bromera, SL (www.bromera.com).

Título original: *La muntanya de llibres més alta del món*
© Del texto y de las ilustraciones: Rocio Bonilla, 2015
© Algar Editorial, SL
  Apartado de correos, 225 - 46600 Alzira
  www.algareditorial.com
  Impresión: Grafo

1ª edición: febrero, 2015
2ª edición: noviembre, 2015
ISBN: 978-84-9845-697-4
DL: V-580-2015

LA MONTAÑA DE LIBROS MÁS ALTA DEL MUNDO

ROCIO BONILLA

algar
editorial

A mami,
que fue el alma de la casa,
paps,
nuestro ángel de la guarda,
y Ruth,
mi pequeña Bruce Lee

LA MONTAÑA DE LIBROS MÁS ALTA DEL MUNDO

Rocio Bonilla

Lucas estaba convencido de
que había nacido para volar.

Podía pasarse horas contemplando a los pájaros
o siguiendo absorto las estelas de los aviones que
cruzaban el cielo a lo lejos.

¡LuCaaaS...!!!

Intentó fabricarse un millón de alas: grandes, pequeñas, con plumas, con papel o cartón, cualquier invento que le ayudase en su objetivo... ¡volar! Sin éxito alguno, claro.

Santa Claus,
...

Pero Lucas no se rendía.

Cada Navidad, escribía una carta a Santa Claus pidiéndole, por favor, por favor, por favor, unas alas que volasen de verdad. Inexplicablemente, Santa Claus se equivocaba año tras año y le regalaba unas de juguete que no servían para nada.

Al llegar su cumpleaños, tras soplar las velas del pastel
y formular el mismo deseo de todos y cada uno de sus
cumpleaños anteriores, mamá le dijo:
–Hay otras formas de volar, Lucas.
Y le puso un libro en las manos.

Al principio, Lucas no la entendió, pero se sentó
en el jardín y empezó a leer, sin más.
Y le gustó tanto el cuento que mamá le había
regalado que lo acabó de un tirón.

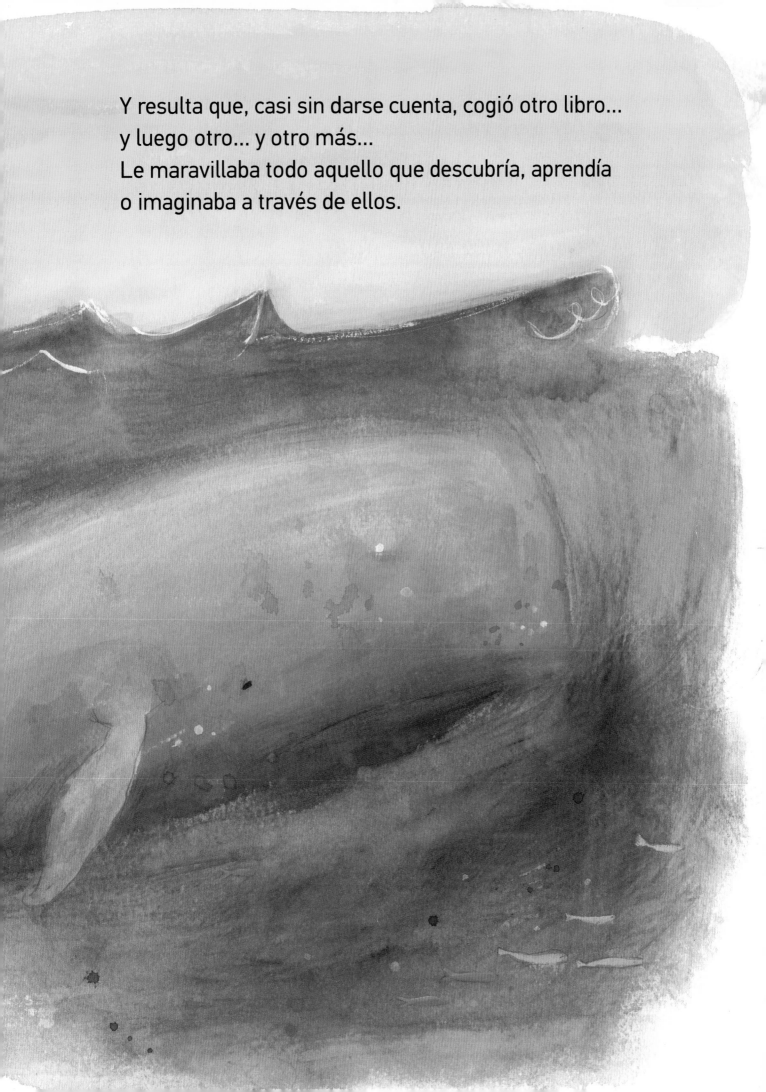

Y resulta que, casi sin darse cuenta, cogió otro libro...
y luego otro... y otro más...
Le maravillaba todo aquello que descubría, aprendía
o imaginaba a través de ellos.

Empezó a devorar libros sin parar y, cuanto más leía, más rápido lo hacía. No podía parar...

Pronto acabó todos los cuentos de la librería del salón y también los de la habitación de su hermana.

Cuando se quiso dar cuenta, tenía el jardín
lleeeeno de libros.
Formó una pila, se instaló en ella y pidió más.

Todos le llevaban libros: Sus amigos,
los vecinos, los amigos de los vecinos...

...la profesora de música, su abuelo
y hasta el panadero de la plaza.

De ese modo, su montaña de libros iba creciendo y creciendo y, de repente, Lucas dejó de bajar, ni siquiera para comer o dormir.

Su madre, su hermana y hasta los bomberos intentaron disuadirlo, pero Lucas solo podía pensar en seguir leyendo.

Cuando acabó con los libros del vecindario,
empezó a recibir furgonetas cargadas desde la
biblioteca municipal.
La montaña de libros crecía y crecía y su caso se
hizo tan famoso que hasta salió en las noticias.

En cuanto supieron de él, de todas partes se acercaba gente para conocer la montaña de libros más alta del mundo.

LA MONTAÑA DE LIBROS MÁS ALTA DEL MUNDO

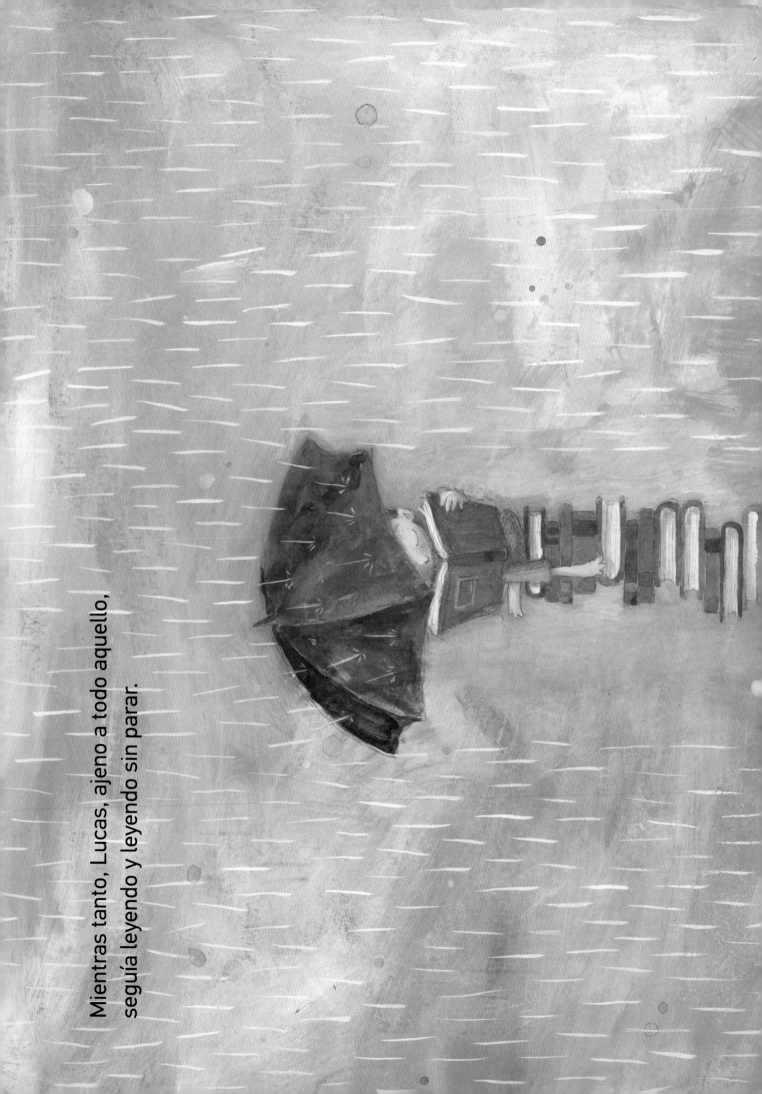

Mientras tanto, Lucas, ajeno a todo aquello, seguía leyendo y leyendo sin parar.

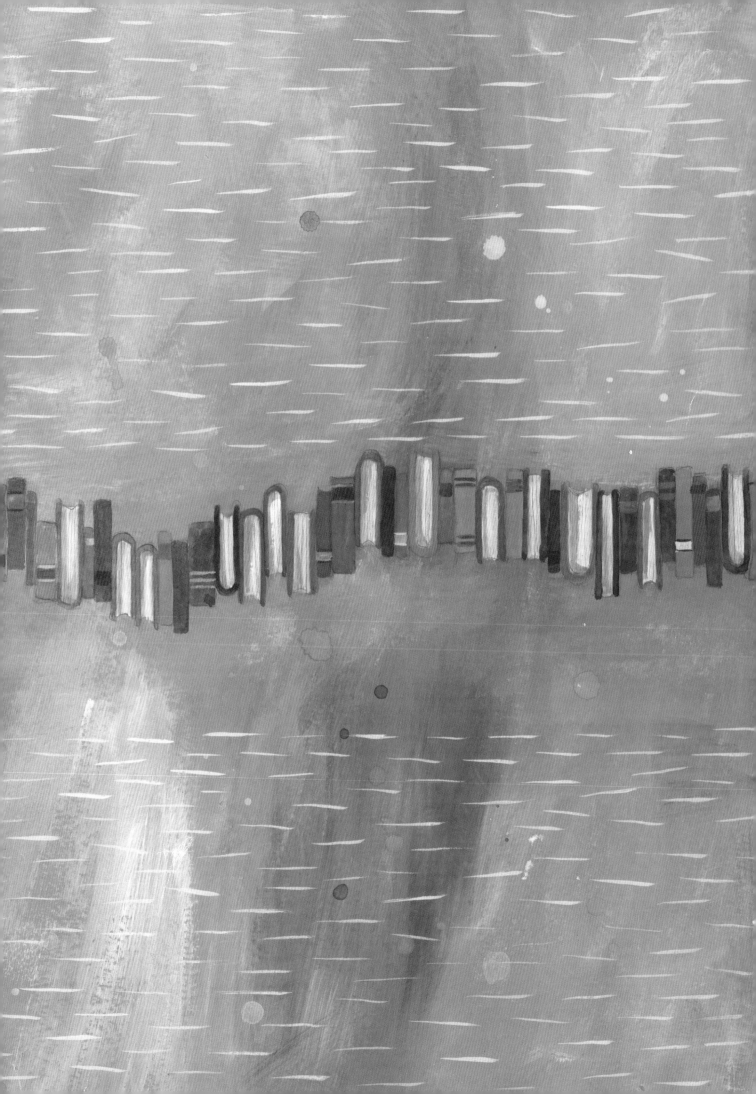

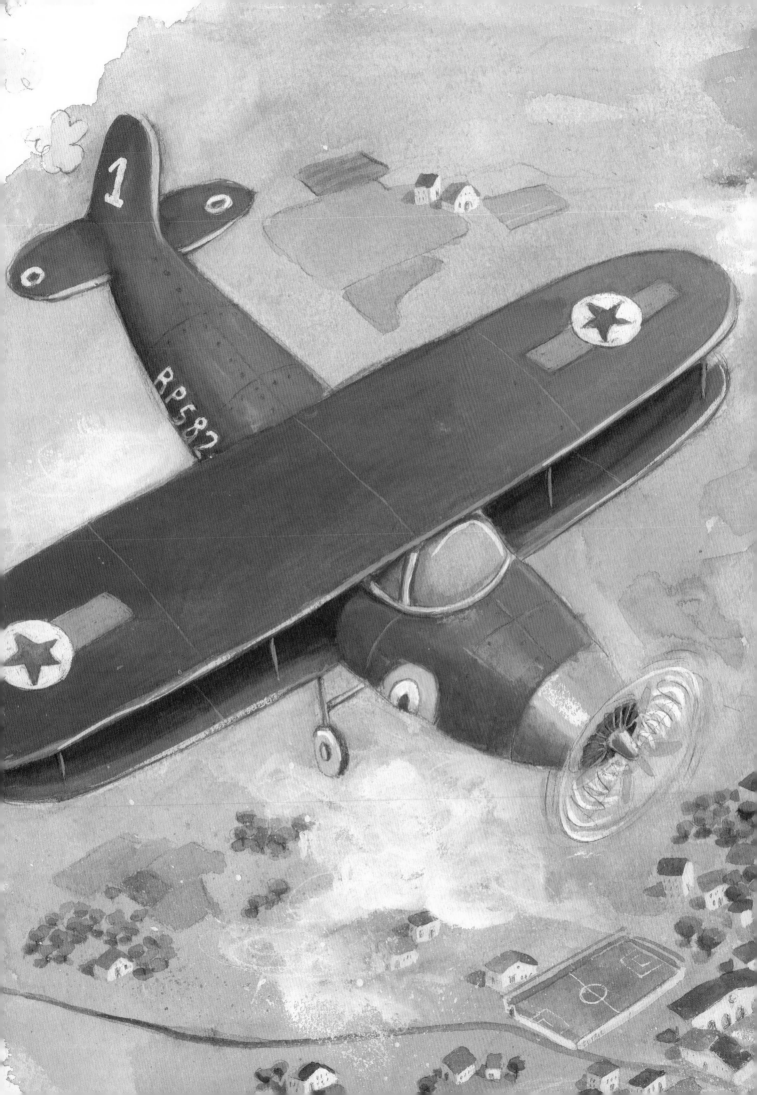

Cada relato le hacía viajar a otros países, descubrir cosas sorprendentes sobre la historia, conocer nuevos personajes o imaginar mundos que no existían en la realidad.

Y un día, de repente... ¡entendió lo que mamá le había querido decir!

Que aunque él no pudiese volar, su imaginación sí que podía hacerlo. De hecho, se dio cuenta de que no había dejado de volar desde que empezó a leer el primer libro.

Y en ese momento, deseó bajar de su montaña de libros para contárselo a mamá.

Pero... ¿cómo?

Y entonces su imaginación le hizo volar... una vez más.